KB076075

The Road to Self

본디 한국과 일본은 자신을 깎아내리는 분위기로 유명했다. 가지고 싶은 것을 가지고 싶다 말하지 못했고, 잘나도 잘난 척이란 비난을 담담히 듣고 있어야만 했다. 이것을 우리는 겸손이라 하지만, 그것은 단지 자아를 이루는 길을 막는 커다란 장애물이다.

서양과 동양은 문화에서 큰 차이를 보인다. 개인주의와 집단주의가 서로 대립하고 있는 모양새다.

서양이 노벨상을 많이 타는 이유가 무엇일까? 그리고 그 상을 탄 아시아계도 왜 외국과의 연구 부문에서 수상을 하는 빈도가 높을까? 그 이유는 바로 집단주의에 있다.

아시아권에서도 한중일 그룹은 특별히 강한 집단주의를 보이고 있다. 자신의 의견이 있어도 집단에서 그것이 받아들여지지 않는다면 그 창의적인 아이디어들은 공동체라는 단어 아래 묻히고,한때 엄청난 상을 거머쥘 기회는 사회에 반발하려는 시도로 몰려가고 만다.

중국은 ‘동방예의지국’이라 우리를 불러왔지만, 그것은 칭찬이 아닌 군주의 국가로서 내뱉은 한 마디일 뿐, 우리가 진짜로 예의 바르다는 것이 아닌, 그저 잘 굽신거린다는 내용이다.

자아 실현의 열쇠는 바로 이곳에 있다. 앞서 말한 대로 겸손을 중요시하는 사회는 자아실현의 걸림돌이다. 진정한 자아 실현의 열쇠는 바로 먹고 싶은 것을 먹고 싶다고, 갖고 싶은 것을 갖고 싶다고, 하고 싶은 것을 하고 싶다고 당당히 말할 수 있는 용기에 담겨 있다.
자아 실현의 열쇠는 표현의 자유이다.

0 과 1 사이

숫자 0과 1 사이. 무와 유의 존재가 교차하는 순간. 차이는 1. 무한한 존재를 나타낸다.

1.1 , 0.01, 0.001, 0.0001.....

수의 시작부터 수의 끝까지, 존재하는 수이든 아니든, 1부터 무한까지에는 끝없는 가능성이 존재한다. 무와 유의 사이는 무한하면서도 하나로 떨어진다.

0.001, 0.003. 단 0.002의 차이일 뿐이지만 이 둘은 완전히 다른 존재일 뿐더러 인정받지 못한다.

수학계에서는 끝없는 은하수같이 이어지는 무리수 원주율 파이나 루트2 같은 수열에만 흥미를 가진다. 한 별이 인생을 마감하듯, 유한소수들에 대한 연구도 끝이 있다. 하지만, 2차 함수의 곡선처럼 불황기가 있으면 항상 호황기가 존재하는 법.

무시 받던 존재들이 나폴레옹처럼 부상해, 항상 처음에 다르다고 무시받던 사람들이 성공하고, 인생의 정점에 이르렀다가 급격히 떨어지듯, 반짝 스타와 예상치 못한 유명인은 동전 한 끝 차이다.

차원을 한 층 넓혀 3차 함수로, 인생의 오르막길과 내리막길로 확연히 갈리지만, 정점에 오기 직전엔 1차,2차,3차 함수든 모두 번아웃이 있다.

실패 없는 삶은 없다. 그렇다고 항상 실패가 성공으로 이루어지지 않는다. 무한한 가능성을 이끄는 원주율처럼 사람은, 인간은, 인류는, 지구는 항상 무시받던 자들이 지배한다.

마르스는 추락하고, 니케는 지배한다.

칸토어는 유한한 수가 무한할 수 있다는 것을 컴퍼스와 좌표평면, 그리고 눈금 없는 자로만 증명한 첫 수학자다. 지름이 정확히 루트2 1.414213562.....인 무한대의 수들이, 무시받고 있던 무리수들을 해수면 위로 부상시킨 수학자다.

우리는 칸토어 같은 사람이 되어야 한다. 아무도 성공할 거라 생각 못했던, 가능성은 0%라고 생각했던 일을 해내는 사람이 되어야 한다.

마녀사냥

인류의 흑역사를 단 한 가지 꼽는다면 뭘까? 중세 시대 마녀 사냥이다.

모두들 너무나 끔찍한 일이라며 입을 모아 말하지만, 정작 자신들은 범죄자가 나오기를 벼르고 있다가 한 명 나오는 순간 기다렸다는 듯 달려들어 무차별 공격을 한다.

마녀사냥을 끔찍하다고 비난하는 동시에 마녀사냥을 하는 것은 모순이다.

얼굴도 모르는데 왜 욕할까? 라고 고민하지만, 바로 그 문제 속에 답이 있다. 얼굴을 모르니까 그 사람을 만나 곤란한 일에 처할 경우가 없으니 마음껏 놓고 욕하는 것이다.

기자들은 거의 모든 사건을 항상 과장해서 말한다. 가능성이 있으면 됐다고 말하고, 실패할 수도 있으면 망했다고 보도하고, 꼬리를 물면 결코 놓치는 법이 없다. 하지만 우리는 기자들에게 속아 그것이 진짜인줄 알면서 넘어가게 된다.

팩트는 존재하면서 존재감이 없다. 마치 있지만 발견된 적 없는 갈색 왜성처럼....

팩트는 존재하지만 존재하지 않는 것이다.

누가 정상일까?

"잰 정상이 아니야."

"왜 로블을 싫어해?"

"근데 공부는 잘하네..."

난 신작 게임들을 별로 좋아하는 편이 아니고, 유튜브도 안본다. 그런데, 다른 애들은 거의 다 한다. 반에서 유튜브를 싫어하는 애는 나뿐일까? 왜 게임과 유튜브를 좋아하는 애들이 주류이고 정상인 걸까?

모든 생명체는 자기한테 특출난 재능이 있는 일을 하는 걸 즐거워한다 했다. 짐승들은 먹이를 잡는 것에 대한 특출난 재능이 있으니 먹이를 잡고 먹는 것을 즐긴다. 그리고 우리 인간들은 이성적인 사고를 하는 데 특출난 재능을 가졌고, 지적 능력을 발휘할 때 가장 행복해야 하거늘, 왜 한낱 게임이나 유튜브나 하면서 시간을 때우는지 이해를 못 했었다.

하지만 이것도 이분법적 하고 아닐까? 왜 모두 정상 아니면 비정상으로 생각할까?

사실 정상이라는 끝과 비정상이라는 끝 사이에는 수많은 회색지대가 존재한다.

이들 중 누가 정상에 가깝고 누가 비정상에 더 가까울까?

Rebecca

어젯밤 꿈 속 맨덜리, 어둠 속의 추억~ 그렇지만 아픈 상처. 그 속에 꽃핀 사랑.

프롤로그 <어젯밤 꿈 속 맨덜리>의 가사 중 하나다. '나'가 맨덜리를 스케치하고 있을 때 뒤에선 맨덜리 가장무도회가 펼쳐지고, 댄버스 부인은 안개에 둘러싸인 하늘을 응시하고 있다.

과거의 추억을 회상하며 맨덜리를 그리는 '나'가 '거센 불길을 헤치고~'를 부르는 시점에 맞춰 어둠 속에 묻혀져 있던 맨덜리의 문이 다시 열린다. 4월 14일 16년 전에 몬테카를로에서 막심을 처음 만나고 나서 맨덜리에 새로운 미세스 드 윈터로 들어오고, 막심과 함께 있던 시간동안의 충격과 행복, 댄버스 부인이 맨덜리에 불을 지르기까지의 과거를 회상하는 '나'가 퇴장하고 나서 몬테카를로에서의 막시밀리언 드 윈터와의 첫 만남으로 시간이 돌아간다.

책,영화,뮤지컬 모두 시작부터 끝까지 나오는 레베카의 위압감은 그야말로 대단하다. 전 드 윈터 부인이었던 레베카의 파워와 사람들의 멸시를 이겨 내야 했던 게 '나'의 가장 큰 시련이었다. 그렇게 하나하나 이겨 내며 천천히 나아가고 있는데, 막심은 레베카와 관련된 일이 나올 때마다 미친 사람처럼 폭발할 때가 있다. 레베카는 사실 교활하고 뻔뻔한, 사랑이라곤 1도 모르는 여자였다.

막심은 사람들의 눈이 두려워 더러운 계약을 했다. 결국 화를 이기지 못한 막심은 레베카를 밀쳐 죽였고, 그녈 보트에 태워 가라앉혔다. 여객선이 좌초된 바로 그 자리에.

사건 수사 도중 레베카는 댄버스 부인도 배신했다는 사실이 밝혀졌고, 그걸 인정할 수 없었던 댄버스 부인은 맨덜리에 불을 지르고 도망간다.

잠깐, 여기서 <위대한 개츠비>를 읽은 사람이면 눈길이 가는 부분이 있을 것이다. 바로 두 소설 속 데이지와 레베카가 마치 위조한 것처럼 똑같다는 것이다. 둘 다 부유한 부잣집 딸로 자랐고, 평생을 권태에 빠져 살았다. 그저 개츠비도, 파벨도, 막심도 권태에서 빠져 나오게 하는 도구이자 수단에 불과하지 않았다. 사랑은 결국 전부 게임이었을 뿐이었다.

개츠비의 신들린 눈빛도, 막심의 유혹적인 맨덜리 저택도, 파벨의 은근 잘빠진 스포츠카도, 사랑하는 사람을 위해 대신 잘못을 뒤집어 쓰겠다는 개츠비의 절실한 기도조차도 결국 헛수고였다.

그 어떤 남자도 레베카와 데이지를 권태에서 끄집어내고 사랑을 알려줄 순 없었다.

막심이 개츠비와 달랐던 유일한 점은 레베카를 사랑한다는 덫에 빠져들지 않은 것 뿐이었다.

기억할게 (그날, 고양이가 내게로 왔다를 읽고)

매일 하루가 살기 힘들 수도. 마음을 열기 싫을 수도 있을 거다.

하지만 그래도 포기하면 안 되는 것이 인생이기에. 내가 날개를 펴고 힘차게 날아오르는 것을 포기했어도, 아직 끝난 게 아니다.

펭귄들은 하늘을 나는 걸 포기했지만, 대신 그들은 바람처럼 빠르고 힘센 날개로 물속을 날아가기를 선택했다. 마음을 열지 않고, 끝까지 눈 덮인 산을 혼자 오르려 하더라도, 마지막 산 정상에 발을 올리고서 친구 하나 없이 외롭게 죽은 킬리만자로의 표범이 되고 싶어 하더라도.

집 안에 들여온 새로운 식구는 또롱이처럼 소리소문 없이 떠나간 그리운 누군가의 빈자리를 채울 존재가 아니라, 새로 사랑해줘야 할 존재이다.

과거를 회피한다고 새로운 동네로 이사가고, 지하철과 버스, 자동차 경적 소리를 들으면서 그리운 누군가를 잊어보려고, 낯선 소리로 정겨운 소리를 지우려 하는 게 아니라, 설레는 소리와 정겨운 소리를 같이 음미하면서, 잊혀져간 꿈들을 다시 기억해 보면서, 잊으려 하지 말고. 무리해서 지우려 하지 말고. 지우고 싶다면 시간이 흐르면서 자연스레 잊혀지게 하면 된다.

Time Rewinder (위저드 베이커리를 읽고)

짓밟혔다. 타임 리와인더가. 뒤로 돌아갈 수 있는 기회가.

시간을 되돌릴 수 있는 기회는 없어졌지만, 그래도 괜찮다. 시간은 태엽처럼 다시 감을 수 있는 것이 아니다.

이런 내가 타임 리와인더를 써서 세상의 이치를 때뜨리는 건 애초에 말도 안 되는 일이었다.

그런데 그 타임 리와인더가 지금 배 선생의 신발 앞에 부서쳐 있는 것이 어떻게 보면 다행이긴 하다. 내가 시간을 다시 감았다 해도 운명은 바꿀 수 없다. 배 선생은 만나지 않겠지만, 원수는 결국 다시 만난다. 언젠가 또 다시 날 괴롭히려는 사람들이 나올 것이다. 결국 운명을 바꾸지 못한다면 타임 리와인더를 받은 이유도 사라져 버리는 것이 아닐까? 그럼 타임 리와인더도 단순한 머랭쿠키에 지나치지 않을까?

수많은 위저드 베리커리 닷컴의 고객들이 타임 리와인더를 사고 싶어 안달이 났었지만, 다시 한번 나의 삶을 새롭게 시작해 보겠다는 목적이 상실되면 그저 머행 하나이지 않을까?

시간을 되돌려도, 원수를 제거해도 결국 남는 건 있는 그대로의 나 뿐이다.

시간을 되돌리겠다며 안간힘을 쓰는 동안, 있는 그대로의 날 다시 돌아보고 나 자신을 사랑하는 법을 배워야 하지 않을까?

행복

행복.

어떤 사람에겐 자아 실현. 어떤 사람에겐 게임. 어떤 사람에겐 뮤지컬 관람. 어떤 사람에겐 여행. 행복은 전부 다르다. 행복은 하나이면서도 여러 개다. 행복의 뜻은 무엇일까?

국어사전에 나오는 짧은 한 문장으론 행복의 의미를 표현하지 못한다.

그 짧은 문장 하나가 무슨 소용이 있단 말인가!

행복은 제각기 모두 다르지만, 행복이란건 결국 소확행부터 시작할 뿐이다.

밥 먹고, 놀고, 자고, 이런 기본적 욕구에서 우리는 행복을 찾을 수 있다.

돈, 부, 람보르기니는 그저 끝없는 욕망을 채워주기 위한 수단이었지 않을까?

소소하고, 평범한 일상 속에서 감사하는 사람이 가장 행복하다.

행복은 평범한 곳에서도 우러나온다.

행복은 거창한 것이 아니다.

행복은 우리 가까이에 있다.

Language

지금 당신 앞에 돼지 한 마리가 있다. 무엇이 생각날까? 아마 노릇노릇하게 구워진 삼겹살이 떠오를 것이다. 그 전에 삼겹살이란 단어, 모든 단어와 언어를 모르는 상태에서 다시 돼지를 바라보자. 무엇이 보이나? 아마 아무것도 보이지 않을 것이다. 이것이 이분법적 사고의 결과물이다.

Kin(명사) 친, 인척들을 뜻함. 영한사전에는 분명히 Kin의 뜻이 친척으로 명시되어 있지만, 원래의 뜻을 해석해 보면 서로 이해하고 사랑하는 이웃 사촌이라는 것이다. 백인들의 관점에서 산업혁명에 따라 그저 같은 핏줄로 뜻이 바뀌고 말았다.

인디언들은 고통을 참을 때 영혼과 육체를 분리해, 영혼을 하늘 위로 띄워 고통을 참는 대신 그대로 직면해 바라본다. 인디언들에게는 육체의 고통으로 굴복시키는 방법이 통하지 않는다.

영혼과 자신의 안식처에 내려앉아 조용히 회복할 뿐이다.

인디언들은 자신의 자유를 위한 저항을 했을 뿐인데, 미국 군대는 그들에게 폭동죄를 뒤집어씌워 땅과 자유를 빼앗아갔다. 모든 싸움은 언어 때문에 발생한다. 장장 1000년을 끈 종교전쟁도 언어 하나 때문에 발생한 것이다.

슬픔을 없애려면 슬픔이란 언어 자체를 없애면 된다.
우리가 슬픔을 느끼는 건 슬픔이란 단어를 알기 때문이니까.

더 늦기 전에 막아야 한다

한국은 지도의 동쪽에 있다. 이걸 우리는 동양이라고 부른다. 그 옆에는 중국이 있다. 중국은 공자의 나라. 공자는 관계를 중시했다. 이는 한국까지 전파됐다.

반도 사람들은 극단적인 성향을 가지고 있기 때문에 좋은 뜻이 악성으로 변해 버렸다.

이제 한국은 이상한 평범의 나라가 되어버렸다. 이제 한국은 필요없는걸 싫어하고 논쟁을 증오하는 개개인의 개성이 없는 그저 평범한 나라가 되어버렸다.

관계라는 이 짧은 단어 하나 때문에 수많은 오천만개의 반짝반짝 빛나는 저마다의 아름다운 별들이 적막한 우주 속으로 희석되고 말았다. 수천만의 아름다운 꿈과 함께 말이다.

그 때문에 우리가 아레테를 실현하지 못하는 것이며, 과학자들이 나오지 않는 이유다.

우리는 이제 막 입학한 초등학생들에게 아레테를 실현하는 것을 저지하고, 순수한 상상력을 가로막고 있다. 국어부터 체육까지 학교는 전부 관계중심적으로 물들어 있다.

우리는 공동체중심주의 세상에 살고 있다. 개개인의 재능을 인정하지 않는 우리의 세상.

우리는 고리타분한 남녀차별과 절대왕정주의에 물들어 있는 공자 철학의 울타리에서 벗어나, 한발 더 내디뎌 수천만의 꿈이 헛되지 않도록 만들어야 한다.

The Normality of Evil

유대인 600만명을 학살하고 나서 나체에게 심판의 시간이 다가왔다.

이스라엘 특수부대 모사드에 의해 체포되어 법정에 선 아이히만의 주장은 이상하게도 자신은 그저 상사의 명령을 따랐을 뿐이라는 것이었다. 하지만, 오히려 그 주장은 자기 죄를 자기 스스로 입증하는 꼴이 된다.

아이히만이 상사의 명령을 따라 움직이는 것이라면 그의 상사의 상사의 상사. 즉 최종보스는 바로 그 계획 자체를 주도한 아돌프 히틀러다. 아돌프 히틀러는 나치 사회 자체를 주도하므로 나치는 거대한 악이고, 나치가 되는 순간 '악'이 된다.

악은 모두에게나 날벼락처럼 갑자기 떨어진다. 아이히만은 그저 홀로코스트라는 거대한 기계 하나에 끼어 있는 조그만 톱니바퀴일 뿐이다.

설령 아이히만에게 동정심이 느껴진다면 얼른 다시 한번 고민하길 바란다. 미 공군 장교 커티스 르메이는 도쿄 대공습을 주도할 때 이런 말을 내뱉었다. "무고한 민간인은 없다." 이것은 나의 의견이 조금 더 부풀려진 것에 불과하다. 정의의 세계에서 피고인에 대한 동정심이란 그저 판결을 늦추는 장애물일 뿐, 아무 쓸모가 없다. 판사란 그저 검사와 변호사의 주장에 따라 판결을 내리는 사람일 뿐이다.

피고인에 대한 동정심이란 강력한 무기가 될 수 있다. 히틀러가 반란을 일으킨 해는 1923년.

판사가 히틀러에게 동정심을 느끼지 않고 15년형을 선고했다면 히틀러가 출소하는 해는 1938년이므로 제 2차대전을 일으킬 만한 정치 거물과 막 출소한 전과자의 차이는 어마어마하다.

당시 히틀러를 심판한 판사는 동정심 때문에 괴물을 풀어준 것이다.

Only two times

지금껏 수많은 나라가 왕과 신하에 의해 흥하고 망했다.

나라들의 체제는 수없이 다양했지만, 모두 한결같이 부패한 누군가에 의해 망했다.

왕과 신하는 원래 나라를 조화롭게 이끌어가야 한다. 한쪽이 부패하면 나라가 망하고, 둘 다 명석하면 나라가 흥한다. 왕과 신하 중 누가 나라의 흥과 망을 결정하는지는 중요하지 않다. 완벽한 왕과 완벽한 신하가 서로 어울려 만들어 내는 것이 성공한 나라이기 때문이다.

왕이 부패하면 연산군처럼 바른말을 하는 신하들을 죽이고, 신하가 부패하면 공민왕처럼 왕 혼자 불쌍하게 개혁을 외치는 꼴이 된다. 둘이 부패하면 사이좋게 나라를 망쳐 가고, 왕과 신하가 서로 완벽해야지 균형이 나온다. 조선이 5000년 역사 동안 흥한 것이 두 번 뿐인 이유가 바로 이것이다. 완벽한 왕과 완벽한 신하는 많았지만, 서로 시대가 겹치는 것은 단 두 차례 뿐이었기 때문이다.

왕과 신하는 서로 대립하며 더 좋은 나라를 만들어가기 위해 노력한다. 그것이 바로 정도전이 의도한, 왕과 신하가 나란히 도우며 나라를 이끄는 재상정치였던 것이다.

왕과 재상 사이는 한 정책을 사이에 두고 대립하는 창과 방패다.

완벽한 나라는 완벽한 창과 완벽한 방패를 의미한다.

새로운 세상 ('데미안'을 읽고)

소설 <데미안>속 이야기에 사람들은 다들 감동한다. 싱클레어의 모습을 보고.

그런데 그들이 놓치는 것이 있다. 이 책에 담긴 메시지이다. 지금까지 설명한 모든 사건과 일들은 이 한 문장 안에 농축되어 있다.

"새가 알을 깨고 나오듯, 우리도 알을 깨고 나아가야 한다."

때때론 어려워서 지나가는 추상적인 문장에 모든 이야기가 농축되어 있을 수 있다. 방금 설명한 문장처럼.

그 알은 무엇일까. 그리고 그 밖의 세계는 무얼까.

새는 알을 깨고 나오기까진 그 알이 세상의 전부다. 그리고, 부리로 쪼아 알을 깨고 만난 새로운 세상은 그때까지와는 전혀 다른 세상이었을 거다. 그것이 우리 세계다.

어쩌면 우리 세계도 커다란 알 속에 갇혀있을 거고, 우리도 그 알을 깨고 나와야 한다. 이제 알겠나? 새는 우리고, 새가 마주하게 될 세상은 이데아다. 소설 <데미안>은 플라톤 철학이 들어 있다.

플라톤이 이런 사상을 만든 이유는 스승인 소크라테스가 억울하게 죽었기 때문이고, 그렇기 때문에 이 세계는 완전하지 않고 이데아가 있다고 믿은 거다. 그렇지만 물질의 본질은 바로 이곳에 있다. 지금 있는 연필 그 자체가 연필의 본질이다. 인간은 새로운 세상이 다른 곳에 있다고 생각하지만, 새로운 세상은 여기, 이곳에 있다.

배달의 민족 (튀르키예 지진 사건을 보고)

우리는 왜 가난한 자를 도와야 한다고 생각할까? 공자의 유가 사상 때문일까? 아니면 인류애 때문일까? 그러면 왜 이만원으로 기부를 하지 않고 아들의 치킨을 사러 치킨집에 갈까? 아들이 먹고 싶다고 한 치킨을 사는 것은 가정의 의무, 불우이웃을 돕는 건 국가의 의무, 지진 피해 회복 중인 튀르키예에 지원금을 보내는 건 전 세계적 의무다. 원칙상으로는 아들의 치킨은 맨 뒤로 밀려나 아들이 울고 불고 떼를 쓰는 상황이 벌어지겠지만, 이와는 다르게 치킨이 제일 먼저 아들 손에 들어오는 아이러니한 상황이 펼쳐진다. 만약 강한 인류애주의자라면 지진 피해 지원부터 해주는게 맞지만, 약한 인류애주의자는 작은 것부터 끝내고 나서 여력이 되면 마지막에 전 세계적 의무를 실행한다.

다만 여기서 당혹감이 드는 경우가 있다. 왜 코로나 백신을 내 돈을 주고 내가 샀는데 남한테 줘야해? 그것은 남이 더 필요로 하기 때문이다. 이 이론은 동포주의 때문에 생긴 것이다. 전 인류가 모두 하나라는 것에서 비롯된 것이므로, 인류는 모두 형제라는 것이다. 사실 튀르키예에 당장 지지원금 필요한 것이 맞다. 그리고 TV를 켰을 때 나오는 무너진 건물들을 보면서 우리는 진짜로안타깝고 걱정되는 마음을 느낀다. 하지만 그 감정들은 TV를 끄는 순간 사라지고, 어느새 우리는 피자와 치킨 중 뭘 먹을지 한가롭게 고민하면서 튀르키예 문제는 저 뒷전으로 미뤄버린다.

지금 당장 피자를 먹을지 치킨을 먹을지 여유롭게 고민하고 있을 수도 있는 당신에게 말한다.

인류애는 이상적이다. 그러니 이상적이어서 실현될 수 없다.

사람들은 지진 피해자가 불쌍하다고 말하면서 배달어플을 누르고 있다.

Spade

오늘날 우리는 아주 특별한 세상에 살고 있다. 사람들은 일어나면 자신만의 AI 비서의 이름을 외치며 TV를 틀어 달라 부탁하고, 시내버스를 타고 회사에 가는 길에 다리를 꼬고 앉아 유튜브 알고리즘이 추천하는 동영상을 보고 있다. 하지만, 수 만년 전 인류의 생활을 보기 위해 잠시 타임머신을 타고 나라의 탄생을 찾아 되돌아가 보자.

인류는 어느 한 사람이 발견한 밀의 씨앗으로 큰 번영을 누렸고, 농업혁명을 일으켜 정착 생활을 시작하고 나라를 세웠다. 하지만 밀이 우리에게 해준 건 뭐가 있을까? 우리는 밀을 위해 하루의 절반을 바쳤는데 말이다. 밀은 우리에게 해준 게 아무것도 없다. 심지어 밀이 만든 밥도 인류에게 좋은 에너지원이 되지 못했다. 인류의 조상은 잡식성 유인원이어서 모든 음식을 고르게 섭취했지만, 밀을 먹기 시작하면서 한쪽으로 치우친 윗접시 저울처럼 균형이 깨지고 말았다.

인류는 고달픈 농사를 편하게 만들기 위해 여러 가지 농기구를 동원했다. 낫과 곡괭이, 호미처럼 여러가지 도구들을 만들어 농사의 고달픔을 덜었고, 농사가 기계화되어 마침내 현재만큼 안락한 삶에 이르렀다.

호미와 가래는 서로 하는 일이 비슷하다. 호미는 농부를 돕지만, 가래는 여럿이서 잡고 끌어도 땅에서 벗어나기 싫어 더 큰 시련을 부른다. 그리고 농업혁명은 어쩌면 인류의 가래일지도 모른다.

다시 현재로 돌아와 현실을 똑바로 마주하자. 지금 우리가 친근하게 말을 거는 시리는 호미이지만, 10의 22승을 계산할 능력을 가지는 순간 인공지능은 가래로 돌변한다. 인류는 지금 미래라는 밭을 갈기 위한 도구를 결정할 기로에 놓여 있다. 미래라는 밭에 인공지능을 심게 될지 밭을 갈아엎어 망치게 될지는 지금 호미를 선택하느냐 가래를 선택하느냐에 달려 있다.

Second Chance

두번째 기회. 모두에게 두 번째 삶의 기회는 그림의 떡이나 마찬가지다. 한 삶을 끝마치고 우주를 향해 떠나갈 때 사람들은 인생의 실수들을 한탄하며 두 번째 기회를 갈망한다. 피해자와 가해자, 방관자와 방어자, 그리고 사건에 무관한 일반인 모두에게 기회는 공평하게 주어질 것이란 생각은 버려라. 각 사람은 두 번째 기회를 갖기 전에 자신이 저지른 죄악의 대가를 치러야 한다.

악명 높은 방관자들도 처음엔 평범한 사람에서 시작한다. 인류는 본디 자신의 생존에 유리한 이기적 유전자를 가지고 태어났기에 이러다 자신에게까지 불똥이 튄다며 방관하는 경우가 많고, 나 또한 그러한 광경들을 몇 번 목격한 적이 있다.

사람들은 자신의 생존을 최우선으로 여기는 것이 본능이지만, 가해자가 저지른 일에 대한 합당한 대가를 치르게 하려면 방관자는 사라져야만 한다.

이기적 유전자는 인류를 더 번성하고 지구의 최상위 포식자로 만드는데는 성공했지만, 완벽한 평화를 위해서는 이제 그만 인류에게서 손을 떼야 한다.

이기적 유전자는 지뢰다. 잘 이용하면 적군을 모조리 휩쓸 수 있지만, 자칫하다가는 아군이 부상당하는 결과를 초래할 수도 있다.

이기적 유전자는 우리 DNA 속에 숨어 있는 지뢰다.

What is our happiness

2024년 청룡의 해에도 열띤 토론은 이어진다. 주제는 바로 뉴진스가 좋으냐 아이브가 좋으냐. 참 간단한 주제지만 편을 나눠 마치 뉴진스교 아이브교 라고 불러도 될 정도로 치열하게 싸운다. 이런 K-pop의 시작이 된 3S 정책을 만나보러 돌아가자.

8090시절, 정부는 3S 정책과 함께 가요계와 스포츠계의 부활을 선포했다. 고교야구 선수들은 프로야구 선수가 되었고, 금지곡으로 억압받던 가요들은 1988의 상징인 대학가요제의 <그대에게>까지 선보였다. 하지만, 점차 이 둘이 유명세를 타면서 거센 비난도 함께 쏟아져 나왔다. 한 스포츠 경기가 끝날 때마다 악플들은 끝나지 않는 뇌우처럼 흘러내렸고, 자유로움을 상징했던 연예계도 연출가의 눈을 피하지는 못했다. 자유의 다른 말은 배고픔이라는 말이 절로 느껴지는 순간이었다.

현재, 세상은 점점 더 경쟁 구도로 들어서고 있다. 사회는 AI의 등장으로 더 큰 변화를 맞이했으며, 학교 폭력 논란에, 특히 유명인들이 일으킨 사건에 집중해 맹비난을 퍼붓고 있다. 심지어 아무 죄 없는 정직한 스타들도 때로는 악플의 뇌우를 맞는 순간이 온다.

세상은 공평하지 않다. 사람들은 스타들에게 가차없지만, 진정한 유명인들은 비난도 스타의 특권으로 알고 즐길 능력이 있는 사람들이다.

The eyes on disabled

기러기, 토마토, 별똥별, 인도인, 역삼역, 우영우.

앞으로 해도 거꾸로 해도 우영우 입니다.

X to the Y to the Z 밈을 불러일으켰던 드라마 <이상한 변호사 우영우>는 사회가 장애인을 바라보는 시선을 극명하게 드러내고 있다.

드라마 속 주인공 우영우는 아스퍼거 증후군에 걸린 사람으로, 로스쿨에서 뛰어난 암기 실력으로 어.일.우 라는 별명을 얻는다. 아스퍼거 증후군 환자들이 초인적인 암기 능력을 발휘하는 건 사실이지만, 드라마 속 우영우는 아스퍼거 환자는 하기 힘든 일인 자신의 의견을 말하고 피고인까지 보호하는 걸 해내고야 만다.

한국에서 장애인이 나오는 드라마는 단 하나의 시나리오만을 가진다. 장애를 가진 주인공이 시련을 겪으며 자신의 어려움을 극복하고 사회를 향해 발돋움한다는 것. 비 장애인들에게는 재미있는 드라마일 뿐이지만 장애인들에게는 희망 고문이다.

사회는 장애를 가진 사람들에게 자신의 장애를 극복하고 성공하기를 기대하지만, 장애를 극복할 수 있는 힘을 가진 사람들은 극소수인 1%에 불과하다. 남은 99%의 입장은 무시하는 것이 대부분 장애인 출연 드라마들이 보여주고 있는 현실이다.

공동체는 전부 저마다의+ 다른 모습들로 이루어져 있다. 장애인들도 그 중 한명이고, 우리는 그 다름을 인정해야 한다.

사회에게는 지금, 그 어느때보다 틀림이 아닌 다름을 받아들일 준비가 필요하다.

The Balance of Values

마인크래프트에서 폭발하는 TNT를 본 적 있는가? TNT는 엄청난 파괴력을 보이기 때문에 터널을 뚫거나 광물을 캘 때 사용하기 위해 만들어진 폭탄이다. 하지만 본래의 용도와 다르게 TNT는 이제 모든 폭탄의 기본이 되었고 대량 살상무기로 쓰이고 있다.

폭발의 세계는 다이너마이트, TNT, 마침내 원자폭탄을 만들어 냈고 , 극비리에 로스앨러모스 프로젝트를 추진해 2차대전을 끝낼 비장의 무기로 사용했다. 히로시마와 나가사키에 TNT 2만 톤의 위력인 핵폭탄 둘을 투하한 것이다.

프로메테우스는 신들의 왕 제우스의 명령을 받아 신과 흡사한 모습의 인간을, 그의 동생 에피메테우스는 인간 외의 생명체를 만들고, 생명체들에게 생존을 위한 특별한 재능을 부여 한다. 과연 이름 '나중에 생각하는 자' 처럼 인간에게 줄 재능을 실수로 넣지 않는다. 그렇게 완성된 인간들은 신들에게 황소를 제물로 바치게 되고, 결국 고기를 먹지 못한 인간들은 점점 쇠약해졌으며, 마침내 프로메테우스는 제우스를 설득해 인간들에게 고기를 나눠주게 되고, 익힌 고기를 먹을 수 있도록 불까지 훔쳐 가져다준다.

현대 세계에서 오펜하이머는 프로메테우스, 핵분열은 불을 의미한다. 불은 엄청난 재앙을 불러 일으키는 결과를 초래했지만, 과학은 거기에서 일어난 호기심을 바탕으로 발전하게 되었으니 결국 오펜하이머는 죄가 없다.

과학은 늘 지적 호기심이라는 무기로 인류를 한 발짝씩 더 진보시켰다. 현재 화제가 되고 있는 유전공학이 발달하는 사이, 생명윤리가 그 발목을 잡는다면 그것은 어쩌면 인류의 진보를 늦추는 걸림돌로 작용할 수 있을지도 모른다.

핵을 발견한 과학자들은 잘못이 없다. 잘잘못은 그것을 사용하는 사람에게 달려 있다.

과학의, 과학에 의한, 과학을 위한 탐구는 결코 끝나지 않아야 한다.

You Complete Me

히어로물은 항상 특정한 시기에만 등장한다. 반짝 스타처럼 인기를 끌다 어느 순간 “에이...마블 이제 유행 지났어!” 라며 들러리로 전락하는 신세가 되곤 한다. 히어로의 세계란 과련 무엇일까?

히어로물에선 항상 악당 차와의 고속 추격전이 벌어진다. 배트맨은 배트카에 탑승해 타이어를 불태우며 조커를 쫓아가지만, 그럼 만신창이가 된 도로는 누가 책임지는 것일까? 그리고 조커를 만난 배트맨은 오히려 배트맨이 악당처럼 보일 정도로 조커를 심하게 폭행한다. 빌런은 악하고 히어로는 선하다고 믿었건만, 둘 다 폭력을 쓸 뿐더러 가끔은 세상을 바꾸는 자가 빌런이 되기도 한다.

영웅이 강해질수록 악당도 힘을 키운다. 아이언맨 시리즈를 예시로 들면, 건물 파괴, 지구 파괴, 마침내 우주를 파괴하겠다는 복수심에 불타오르는 장면이 나온다. 영웅이 악당을 잡으면 그 순간 히어로의 목적은 사라진다. 고담시는 조커를 잡기 위해 배트맨을 고용했지만, 조커를 잡은 배트맨은 쓸모가 없어진다.

토사구팽. 사냥개는 먹잇감을 잡는 순간 그 몫을 다하고 버려질 운명을 맞이할 수 있다. 히어로도 마찬가지다. 한나라 초대 대장군 한신은 유방을 도와 항우를 잡았지만, 남아있는건 얼토당토 않은 반역죄로 인한 죽음이었다.

The last city (지구끝의 온실을 읽고)

어느 날, 연구소에서 초소형 자가증식 나노로봇이 탈출했다. 이 나노로봇들은 지구를 재앙으로 몰고 갔고, 인류는 먼지같이 작은 이것에 '더스트'라는 이름을 붙였다.

자가증식하는 더스트는 돔 시티들을 하나 둘 씩 점령해 갔고, 더스트로부터 안전한 프림빌리지 에서도 더스트 습격은 일어나기 시작했다.

레이첼은 더스트를 막기 위해 새로운 유전자 조작 키메라 식물 모스바나를 개발하고, 숲에 그것을 심었다. 모스바나는 성공적으로 더스트를 막아냈지만, 곧이어 숲 전체를 도배하기 시작했다.

모스바나를 쓰고 싶어 하는 지수를 레이첼이 말린 이유가 바로 이것이었다.

모스바나는 암흑의 더스트 시대에서 우점종이었다. 그들은 더스트를 흡수하는 능력을 가짐으로써 생물의 제왕 자리에 올랐지만, 동시에 먹잇감을 스스로 없앰으로써 우점종 지위를 내줬다. 인류는 모스바나를 필요로 했고, 모스바나도 인류를 필요로 했다.

어차피 죽을 것, 인류는 점점 더 판을 크게 벌려 더스트 포집 기술을 개발했고, 그 기술이 인류를 살려 수명을 성공적으로 연장시켰다.

어차피 죽을 것, 판을 크게 벌리는 이유는 이곳에 있다.

야심차게 해본 마지막 시도는 인류를 구원할 베팅이 될 수도 있다.

Standards of coexistence (파견자들을 읽고)

어느 날, 문명 세계에 범람체들이 쳐들어왔다. 그들은 지상을 빠르게 잠식해갔고 인류는 겨우 살아 지하로 피신했다. 그리고 인류는 '파견자'들을 보내 다시 지상을 되찾을 날을 꿈꾸며 재탈환의 날을 기다려왔다.

그렇게 세월이 지난지 어느덧 2세대, 3세대들의 세계가 도래했다. 파견자 시험은 여전히 인기를 끌고 그 중에는 훗날 공존을 주장할 '정태린'도 응시자에 포함되어 있었다.

범람체들은 인류와 달리 개인, 개체의 개념이 없다. 그들의 세계에서 하나는 곧 모두고, 모두는 곧 하나다. 범람체들의 세계에서는 개성과 특별함이라고는 찾아볼 수 없으며 그저 모두가 평범할 뿐이다. 내가 범람체를 싫어하는 이유다.

인간은 본디 특별한 지성을 가진 존재로 태어났다. 하지만 범람체가 인간의 전두엽까지 정복하면 인류는 정상적인 이성을 잃고 날뛰게 된다. 인류는 범람체와의 언어가 다르다. 언어가 다르면 공통적인 적대심을 품게 된다.

유일한 해결의 열쇠는 태린의 머릿속에 있는 '쏠'이다. 인류는 범람체와 공존하지 않으면서 공존할 방법을 찾아낼 열쇠를 손안에. 지금. 쥐고 있다.

Life Flows (튜브를 읽고)

누군가 이런 말을 내뱉었던가? 자주 절망하고 가끔 행복하라고.

그래야 고생 끝에 온 휴식이 마치 천국처럼 느껴지니까.

김성곤 안드레아의 삶은 파란만장하게 흘러갔다. 그 속에 어머니의 죽음은 김성곤에게 슬픔을 남겼지만, 참회의 눈물은 잠시 , 다시 생활로 돌아갔고, 부모의 존재는 점점 더 멀어져 갈 뿐이었다.

평범한 일생에서 나락으로 떨어졌지만, 밑바닥을 치고 올라와 기적적으로 성공. 하지만 다시 지푸라기 프로젝트의 사장 자리에서 쫓겨남으로써 다시 떨어진다. 그러나 2년 전과는 뭔가가 달라졌었다. 비록 낡았더라고 그의 감각은 여전히 깨어 있었다.

사람이 물에 빠질 때 우리는 튜브를 던져 준다. 하지만 구원자의 몫은 여기까지다. 삶을 포기할지, 아니면 1%의 가능성을 믿고 마지막 도전을 할지는 오로지 도망자의 몫이기 때문이다.

삶은 마치 강물처럼 어딘가를 향해 올곧이 흘러갈 뿐이다.

어떤 목적과 방향도 없이 그저 흘러갈 뿐이다.

The dream we dream

꿈. 우리가 꿈꾸는 세상은 어디에 있는지 모른다. 잔혹한 현실의 경쟁속에서 우리는 꿈을 위해 고군분투하지만, 그 꿈을 이루는 것도 꿈이다.

미래. 우리는 미래를 꿈꾸며 기대 속에서 어린 시절을 보내왔지만, 우리가 성인이 되서 맞이한 것은 진심 어린 악수와 따듯한 커피가 아닌 싸늘한 입시 경쟁 이었다.

미래를 꿈꿨던 한때는, 순수했던 어린이들의 꿈들은 거대한 현실의 벽에 막혀 그저 무명의 사람으로 내려앉아야 했다.

그 많던 오천만 사람들도 꿈이 있다. 아니, 한때는 그 무엇보다 멋지고 찬란한 꿈을 가지고 있었다.

현실. 그 무엇보다 찬란했던 꿈도 빛 바랜 희망이 되어 쓸쓸히 남겨졌다. 한국은 오직 치열한 입시 경쟁에서 살아남아야만 길이 트인다. 공부 잘하기로 소문난 영재고등학교의 전교1등도 서울대를 완벽히 보장해주지는 못한다.

그 수많은 꿈들은 이룰 수 없다. 꿈은 가상 저 너머에 있지만, 꿈을 이루는 순간 그것은 현실이 되니까. 꿈은 이루어질 수 없다.

인간은 타인의 꿈을 꾼다.

42.195KM

지지 않아야 한다. 이겨야 한다. 성공해야 한다. 그런 강박 속에 대한민국 중고등학생의 90%는 그동안 살아왔다. 그동안 개개인이 '나의 꿈'이라 믿었던 것이 개인의 꿈이 아닌 집단의 꿈이었다.

그들의 이데아. 그들의 이상은 그 강박과 쪽잠 속에 숨어 힘을 내지 못했고, 그렇게 미친 듯이 달렸던 90%는 느리게 걸었던 10%에게 순위를 빼앗겼다. 얼마나 더 일찍 달리느냐가 중요한 것이 아니다. 인생은 항해이자 마라톤이자 F1레이스다. 나침반이 제대로 잡히고, 스타팅 블록을 박차며 뛰어오르고, 엑셀을 힘껏 밟기도 전에 달리는 건 무의미하다. 처음에 느리게 달렸던 그룹들은 차츰 속도를 높였고, 처음부터 힘껏 달렸던 이들은 뒤로 밀려나 1등 자리를 놓쳤다.

마라톤의 총 거리 42.195km를 처음부터 끝까지 1등으로 달리는 것은 무의미하다. 그럼에도 한국은 끊임없이 1등의 왕관을 요구한다.

4년전, 베트남으로 여행을 갔을 때 그 사람들은 여유롭기 그지 없었다. 모두가 웃고 있었고, 리조트에서 뷔페로 가기 위해 버기를 호출하면 기사가 웃으며 목적지까지 데려다주었다. 모든게 너무나도 달랐다. 1등이란 왕관의 무게에 짓눌려 사는 곳은 한국과 일본밖에 없던 것인가?

인생의 항해를 끝내는 동안 우리는 나침반, 즉 이데아를 잃어선 안된다. 마라톤의 거리 42.195km를 달리는 동안 중요한 건 속도가 아닌 그 거리를 달리는 자신을 지탱할 이데아다.

Not Enough

우리가 갈구하는 삶의 가치는 무엇인가? 람보르기니? 돈? 찬란한 명예? 사랑하는 사람의 마음?

제각각인 물질적인 가치는 모두 낭비이자 사치다.

인간에게 있어 교통 수단이란 사치였지만, 인류는 그 사치로 인해 바퀴라는 인류 역사상 가장 위대한 발명품을 만들었다. 그리고, 그 바퀴에 만족하지 못하는 인간들이 마차를 만들었고, 자동차, 그리고 슈퍼카와 하이퍼카에게까지 이르렀다. 바퀴가 발명된 뒤 자주 부서지던 바퀴에 불만족한 일부 사람들이 바큇살을 발명시켰고, 표면이 갈라진다는 것에 불만족한 이들이 철판이나 고무를 둘러 마침내 자동차의 기본인 '휠'이 등장했다. 이 모든 발명과 발견은 전주 '불만족'에서 일어났다.

내가 간절히 바랬던 것을 이루게 되면 그 순간 번아웃이 덮치고, 그것이 사치의 결점이라 간디는 말했다. 하지만 사치품과 불만족 앞에 세워진 거대한 과학의 탑 앞에서 간디는 과연 불만족이 인류에게 해롭다는 말을 할 수 있을까?

도덕 교과서는 우리에게 만족하는 법을 깨닳도록 가르쳤지만, 항상 문명의 선구자가 된 사람들은 불만족한 사람들이었다.

과학은 ‘이거 이상한데?’ 라는 의문과 불만족에서 시작한다. 우리는 만족하지 않는 사람들을 욕할 자격이 없고, 또 만족하지 않는 인간이 되어야 한다.

The door (스즈메의 문단속을 읽고)

쾅! 문이 닫힌다. 주문을 외며 열쇠로 봉한다. 또 미미즈의 출구 하나가 사라졌다. 하지만 미미즈는 결코 사라지지 않는다. 언젠가는 다시 나타나 도시를 공격할 것이다.

애초에 미미즈를 없애려면 뒷문을 없애야 했다. 뒷문이 등장하는 곳은 모조리 폐허. 마땅히 애도받아야 하지만 애도받지 못한 곳이다. 폐허는 애도를 필요로 하지만, 우리는 곧장 다음 채널로 돌려 버리곤 한다. 그리고 그 폐허는 사람들의 기억 속에서 서서히 잊혀져 간다.

마지막에 스즈메는 도쿄의 뒷문을 닫아 수많은 생명을 구출해 냈다. 미미즈의 바로 밑에는 황거도 있었다. 스즈메는 그 뒷문을 닫아 천황까지 구했지만, 진짜로 닫아야 할 문은 따로 있었다.

뒷문이 생기는 이유는 받지 못한 애도 때문이다. 자신에게도 공감받지 못하고, 무시받는 동안 뒷문이 생기고 만다. 토지시가 닫아야 할 것은 도쿄의 뒷문이 아닌 우리 마음속 문이다.

No rights to blame science

1945년 8월 5일. 히로시마 800m 상공에서 시민들은 그 어떤 태양보다 더 밝은 빛을 잠시 보았다. 그 "잠시" 후 이 두 번째 태양은 반경 3km 이내에 있는 사람들을 모조리 증발시키고 생존자들도 평생 잊지 못할 고통 속에 몰아넣었다.

1453년, 동로마 제국이 멸망했다. 1000년을 이어온 제국이 무너졌다. 드디어 과학의 거탑이 열렸다.
그후 현재까지 우리는 고전역학과 양자역학이라는 두 굳건한 다리 아래 문명을 세우고 그 누구보다 찬란한 과학의 역사를 꽃피웠다.

과학자들 중 대다수는 기독교인이였다. 그들은 자신의 인생을 건 실험이 성공하기를 하느님께 빌었다.
과학은 종교를 인정하지만, 왜 종교는 과학을 인정하지 않는가? 게다가 갈릴레오 갈릴레이의 종교재판은 왜 20세기 말이 다 되어서야 잘못됐다는 평가를 받는가?
과학의 시작은 항상 궁금증과 호기심에서 시작했다.
이런 과학을 우리는 도덕의 기준에 밀어넣어 심판할 수 없다.

과학은 하느님을 인정하지만, 하느님은 왜 과학을 인정하지 않는가!

The Selfish Gene

인간이 태어났다.
이들은 다른 두 발 생명체들과 달랐다.
이들은 사회를 이루고 신을 찾았다. 갑자기 안정된 세상이 찾아왔다. 그리고 현대까지 이어졌다.

그런데 왜 우리는 아직까지 이기적일까?
4만 년 전보다 돌아가 호모속의 시작을 살펴보자. 그때 인류는 고달팠다. 우리는 수없이 굶주려야 했고, 기껏 사냥한 것도 하이에나가 빼앗아 갔다.

인간은 생존을 해야 했다. 이타적인 인간은 살아남을 수 없었다. 먹을 수 있을 때 먹어야 했고 내 것으로 만들어야 했다. 이기적 유전자는 생존에 유리해졌다.
다시 현대로 돌아와서, 이기적 유전자는 필요가 없어졌다.

이제 이기적이지 않고 이타적인 인간이 살아남는다.
강자가 약자가 됐고, 약자가 강자가 된 것이다.
이제 우리한테 이기적 유전자는 필요가 없다.
우리에게 필요한 건 주차 공간 세 개를 가로로 혼자 다 쓰는 차가 아닌 날 끼워주는 차다.

Chess

인간들은 흔히 '안전빵' 이라면서 선택과 도전을 주저한다. 우리는 그걸 보고 위험을 회피했다 좋아하지만, 사실은 폰으로 퀸을 잡는 것을 마다하는 거다.
체스에서 사람들은 흔히 퀸을 지킨다면서 기물들을 퀸 주변에 배치하며 지킨다. 하지만, 퀸은 막강한 힘을 가지고 있다.

우리는 지금 위험하다며 체크를 걸 수 있는 기회를 마다하고 자기 진영에 갇혀 있기 분분한 것이다.
체스에서는 퀸과 룩의 활약이 크다. 그래서 체스에서 기물의 가치가 그렇게 높은 것이다.

하지만, 이 설정은 오히려 사람들이 비장의 카드를 꺼내 공격하는 것을 주저하게 만들었다.
체크를 걸이 킹을 가장자리로 몰아 메이트시킬 수 있는데 가만히 있어서 진열만 핥아대는 거다.

우리는 오래 체스를 두었고, 점차 우리는 공격적으로 기물들을 움직이고 퀸을 잡기 시작했다. 하지만, 체스와 같은 인생에서 왜 우리는 움직일 시도조차 하지 않는가?

No lease for the poor

1945년. 전쟁이 끝났다. 군수물자로 돈을 바가지로 퍼먹던 미국은 전 세계를 주무르는 초강대국이 되었다. 이에 케인스의 후기 자본주의는 관자놀이를 맞아 쓰러지고, 치열한 경쟁의 시대가 온다. 신자유주의다.

한국은 지금 경쟁의 고통에 시달리고 있다. 하지만, 그 고통보다 더 심한 것을 미국은 1970년대에 뼈저리게 느꼈다. 이 치열한 살아남기 위한 경쟁에서 운명은 엇갈렸다. 한가지 예로 애플은 애플 II로 승승장구하게 되지만, 경쟁 컴퓨터 회사들은 애플의 등장으로 나락으로 떨어지고 만 것이 그것이다.

<설국열차>에서 사람들은 거대한 열차 하나에서 생존을 위해 살아간다. 꼬리칸 사람들은 바퀴벌레 프로틴으로 연명하지만, 머리칸 사람들은 토마호크 스테이크를 씹으며 한가롭게 와인을 마시고 있다. 설국열차의 머리칸에 탄 사람들은 미래를 내다본 이들이다.

이들은 결국 남들의 무시를 이겨내고 살아남아 최고 권력자가 되었다. 나머지들은 살아남기 위한 경쟁을 해야만 한다. 나중에 1등칸에 타 토마호크를 씹을 그 사람들은 살아남기 위해, 열차에 타기 위해 피튀기는 싸움을 해야 한다.

지금 이 순간, 살아남기 위해서는 상위 0.0001%가 되야 한다.

그 경쟁에 실패한 사람들에게 주어질 임대 아파트는 없다.

망자를 위한 땅은 없다. 오직 치열한 경쟁뿐이다.

We don't need gods

서기 0년 12월 25일. 하느님의 아들, 예수 그리스도가 태어났다. 이는 2024년 이상 지속되는 기독교의 시작이 되었으며, 종교의 출발이 되었다.

12월 25일은 예수 그리스도의 생일이다. 그런데 왜 아이들은 산타할아버지를 생각하며 닌텐도 스위치를 달라고 편지를 쓰는 것일까? 게다가 산타클로스도 사실상 많은 사람들이 허구라 믿는 것이 현실이다. 12월 25일은 이제 더 이상 아이들에게 예수님의 생일이 아니다. 그저 선물 받는 날이 된 것이다.

인지 혁명은 우리에게 신을 만들 능력을 주었지만, 우리가 만든 허구인 신은 이제 힘을 잃어가고 있다. 사람들은 더 이상 맹목적으로 신을 믿지 않는다. 대학교에서는 이제 신학 대신 3차 방정식을 배우며, 중세 교회사 대신 질량 보존의 법칙과 불확정성의 원리를 암기한다.

인류는 인지 혁명을 통해 신을 만들고 종교를 세웠다. 하지만 이제 우리는 무지를 인정해야 한다. 신으로 모든 걸 설명하는 것에도 한계가 있다.

이제 우리는 종교가 아닌 과학의 거탑을 쌓아야 한다. 인지혁명이 진짜로 준 것은 신이 아니라 배울 수 있는 능력이다. 신은 더 이상 필요 없다. 우리에게 필요한 건 가짜 신이 아니라 과학이다.

Cry

아이들은 태어난 뒤 자신이 태어났다는 걸 알리려고 운다.
말 그대로 그저 빽빽 운다. 배고프다 울고, 놀고 싶다 울고, 그런 식으로 울지 않으면 당황해 병원에 뛰어간다. 사람들은 울지 않는 아이, 보이는 그대로, 울지 않는 있는 그대로를 인정하지 않는다.

남자는 태어나서 딱 세 번만 울어야 한다 말한다. 태어났을 때, 부모님이 돌아가셨을 때, 나라를 잃었을 때. 그런데, 우리 사회는 왜 자꾸 울음을 나쁜 것으로 가르칠까? 게다가 남자가 울면 안 된다는 것도 억울하다.

1970년대 우리나라는 한강의 기적과 함께 급속도로 성장했지만, 그 시절에는 마치 우는 게 죄처럼 여겨졌다. 슬픔을 표현할 수 없었고, 달리다 넘어지면, 그래서 뼈가 부러지더라도 달려야 한다는, 마치 이 세상에 휴식은 없다는 듯한 각오로 나라를 성장시켰다. 물론 그들 덕분에 우리나라는 선진국 대열에 합류했지만, 우리는 그들의 마음속 스트레스는 이해하지 못한다.

우리는 사람들에게 울지 마라고 가르쳤지만, 정작 자신들도 울면서 그럴 권리가 있을까? 게다가 태어났을 때는 울라고 하면서 왜 정작 태어나고 나서는 울지 말라 하는 것일까? 어쩌면 그들 스스로 자기 합리화나 하고 있는 건 아닐까? 공자에게 다시 묻는다. 왜 울음이 나쁜가?

Oompa Loompa

로알드 달의 책 <찰리와 초콜릿 공장> 에서 나오는 움파룸파 사람들은 그저 엑스트라로만 보인다. 하지만, 다시 고민해 보자. 움파룸파가 의미하는 것이 과연 무엇인가?

움파룸파가 사는 곳은 열대 우림이다. 이곳에서는 카카오가 자라고, 이 지형들은 대부분 바나나 공화국들과 일치한다. 게다가 바나나 공화국들은 대부분 식민 지배를 받았다가 민족자결주의에 영향을 받아 독립한 나라다.

반면 웡카는 항상 잘생긴 백인에다 항상 뛰어난 발명품으로 사람들의 놀라움을 자아낸다. 웡카가 돈 많은 초콜릿 마술사인 반면 움파룸파들은 그저 카카오에 혹해 영국으로 건너가 공장에서 24시간 풀로 뛰는 불쌍한 일꾼으로 우리 머릿속에 기억된다.
<
찰리와 초콜릿 공장>은 단순한 어린이를 위한 동화가 절대로 아니다. 움파룸파와 웡카가 의미하는 것은 바로 착취받는 식민지 사람들과 제국주의 국가다. 카카오콩이 필요했던 움파룸파들에게 웡카가 제시한 조건은 과연 공정한 계약이라 말할 수 있을까?

일 테노레 (뮤지컬 '일 테노레'를 보고)

대한민국 국민 오천만에게도 한때 그 누구보다
찬란하던 꿈이 있었다. 그들에게는 이제 빛바랜 희망이
되었지만, 꿈에 대한 열정은 살아 있다. 그렇게 믿고
싶지만, 지금 마음이 정하는 일은 사라지고, 모두가
이선이의 아버지처럼 의사가 되기를 꿈꾼다.

마음이 정하는 일. 마음이 시키는 일을 해야 하는데,
우리는 하나같이 같은 꿈과 같은 목표를 가지고 있다.
수능이라는 틀 안에 갇힌 이상, 대한민국에게
창의성이란 존재하지 못하고, 자존감 있고 당당한
사람은 나올 수 없다.

1994년 대한민국은 학력고시의 불평등을 없애기 위해
수능을 만들었지만, 여전히 현실은 1988년이든
2023년이든 입시 경쟁은 변하지 않고 그대로다. 정부가
아무리 발버둥쳐도 대한민국은 입시라는 거대한 부처님
손바닥 속에서 벗어나려고 아등바등 힘쓰는 중이다.

모두가 같은 꿈과 목표를 가지고 있는 세상에서,
우리는 다른 길을 가는, 겨울이 되면 역주행하는
방어처럼 되야 한다. 언젠가는 모두가 깨달아야 한다.

“그렇게 가까이 있었는데 왜 몰라봤을까. 나의 꿈.”

Why we must suffer?

세상은 우리에게 늘 옳은 일을 하라고 가르쳐 왔다. 실패를 하면 전부 개인의 탓으로 돌렸다. 그런데 왜 신자유주의 세상은 사회가 잘못한 것은 따지지 않는 것인가?

2020년, 코로나 19 팬데믹이 터지며 여행업과 가게들이 줄줄이 망했다. 나라들은 황급히 도시를 봉쇄하고, 역대 경제성장률이 최초로 마이너스를 기록했다. 가게들이 하나씩 사라져 가고, 몇 남지 않은 전통요리를 판매해 국가무형문화재가 될 수도 있었던 맛집이 망해 프랜차이즈 식당으로 대체돼 버리고 말았다.

오늘 여권을 만들고 나서 내 여권의 모습을 상상해 보았다. 푸른색 표지에 태극문양과 같이 대한민국 여권이라고 쓰여 있는 나의 여권을. 이 여권을 보며 다시 해외여행을 추억이 하나씩 새록새록 기억났다.
마지막으로 미국령 영토를 찾았을 때는 모두가 웃고 있었다. 살아남기 위한 피튀기는 싸움이 그곳에는 존재하지 않았다.

한국에서 중학교에서 방정식을 모르면 앞으로 평생 고난같이 이어지지만, 미국에서는 알차방정식이란 고등학교 때 배우는 고급 개념일 뿐이다. 우리나라는 챗GPT가 뽑아낸 예산문제를 미친 듯이 풀어내고 있는데.

옳은 일을 하기 위해선 누군가 반드시 희생해야 한다. 한데, 세상이 어두울수록 희망을 더 밝혀야 한다며. 꿈을 빼앗기지 않아야 한다며! 우리는 왜 항상 희생해야만 하나.

정말 옳은 일만 하고서 모두 행복해질 수 있을까?

Sweet&bitter

한국이 금메달을 기원하는 국민들의 눈빛을 감당하지 못하고 4강 요르단전에서 탈락해 아시안컵 금메달을 눈앞에서 놓쳤다.
마음 같아선 모두가 감독 클린스만에게 책임을 묻고 해고하고 싶지만, 그럴 수 없다. 후기 자본주의가 시장이란 한 마리 고양이를 케이지에 가둬 정부 정책이라는 먹이로 길들이는 상황에서, 우리는 쉬운 구조조정과 직원 변화를 기대할 수 없다.

학교에서 과자 파티를 하면 보통 모두에게 나눠줄 간식을 반 인원에 맞춰서 가져오라고 한다. 그런데, 이 간식들은 우리가 전부 집에서 가져오는데, 그 간식을 학교에서 제공하나? 물론 당연히 아니다. 학교 선생님의 따뜻한 마음은 제외하고 냉정히 생각해 보자. 파티 시간이 되어 우리가 준비해 온 과자를 별로 친하지도 않은 반 아이들에게도 나눠주고나면 내 몫은 이제 과자 몇 조각밖에 남지 않게 된다. 게다가 자신의 용돈 관리에 밝은 아이들은 이기적인 사람으로 몰려 모두가 보는 앞에서 혼나고 만다.
새우깡 150개를 가져오면 선생님은 친구들에게 다섯 개 씩 나눠주라 하신다. 이렇게 억지로 나눠준 과자의 남은 양은 단 다섯 개 뿐. 과자를 먹는 기분도 나지 않는다. 이런 걸 과연 과자 파티라고 할 수 있을까?

케인스의 후기 자본주의는 한 마리 고양이와 같다. 고양이는 잘 길들이면 주인의 품에 얌전히 안겨 가르랑거리지만, 마음에 들지 않으면 주인의 손을 마구 할퀸다. 후기 자본주의도 안정되어 있으면 복지제도 덕분에 모두가 행복하게 사는 덴마크가 되어 가르랑거리지만, 과격한 대통령이 나오면 가격은 올라가도 매출이 늘지 않아 소비자가 사라지는 악순환인 스태그플레이션으로 돌변해 우리의 손을 할퀴고 문다.
가르랑거리는 행복은 금방 사라지지만, 상처는 몇 달씩 남아 미치도록 가렵게 하면서 우리를 괴롭게 만든다. 행복은 며칠 이내 사라지지만, 고통을 몇 달 이상 오래간다.

신자유주의 속 세상은 마냥 달콤하고 즐거운 말리부 해변 같지만, 후기 자본주의는 고소득층에게서 과연 고소득층인가 의심할 정도로 많은 것을 빼앗는다.
이는 부패한 사업가에게는 효과적일지 몰라도 천재 과학자에게 있어 가장 중요한 연료를 훔쳐가는 것이다.

물리학자 김상욱에게 강연권을 뺐는 것은 밥상을 두고 밥을 훔쳐가는 것이다. 기업가에게 신자유주의와 후기 자본주의는 말리부 해변과 브루클린 빈민가 차이다.

1988년

응답하라 1988 속 세상은 마치 동화 같다. 모두 집집마다 자식들이 반찬 배달을 나가고 아무 때나 분식집으로 몰려가 엄마들 속을 썩인다. 하지만 지금 우리는 아무 때나 옆집 아이와 오락실로 가기는커녕 물건을 빌리러 밸을 누른 이웃의 얼굴을 몰라 호들갑을 떨며 관리실을 호출하고 비상 버튼을 누른다. 이러고도 여전히 이웃사촌이란 단어가 뉴에이스 국어사전에 건재할 가치가 있을까?

1988년에서 하루가 가고 수년, 아니 정확히 36년 지난 현재는 그때의 세상과 다르다. 우리는 참기름이 떨어지면 이웃집에 가서 빌리는 것이 아니라 쿠팡 로켓배송을 시키며 발을 동동 구르고 병을 쥐어짜며 한 방울이라도 더 넣을려 애쓴다. 바로 몇m 옆에 그보다빠르고 확실한 해결책이 있음에도 말이다.
어느새 우리 머리 속 국어사전에선 이웃사촌이란 말이 가루처럼 부스스 흩어져 버리고 말았다.

2020년 전 세계에 코로나 팬데믹이 WHO 유엔공중보건기구 선포 아래 퍼져나갔다. 그때 당시 2010년대 초반 출생 아이들은 1학년부터 3학년. 친구를 만들고 공동체를 형성하기에 가장 적합한 나이에 학교와 공동체를 감염병 COVID-19가 빼았아 갔다. 4학년 2학기. 드디어 사회적 거리두기가 생활 속 거리두기로 바뀌기 시작했지만, 제때 네트워크를 만들지 못한 아이들은 친구 대신 휴대폰 게임, 쇼츠 같은 개인적 플랫폼에 관심을 가졌다.

1988년, 2024년, 2060년, 2096년. 이 네 개의 사회는

모두 완전히 독립적이다. 동화 속 이웃사촌은 역사 속 저 멀리로 사라졌고, 36년이란 세월이 흐르면서 우리는 공동체를 우리 스스로의 손으로 무너뜨렸다. 우리는 이 개인화의 틀을 깨고 나와 세상의 곁으로 날아가야 한다.

새는 알에서 나오려 버둥거린다. 알을 쪼아 빠져나온 새는 신의 곁으로 날아간다. 그 신의 이름은 아브락사스라 한다.

---헤르만 헤서 저서 <데미안> 中

Wasp

hang out. 영어로 '나가서 놀다' 라는 뜻이다. 이것에는 아무 문제가 없지만, 현재의 부모들은 이걸 경계하고 자신의 아이들이 이것을 하지 않기를 원한다. 이런 부모들의 시선에서 보면 나는 "엄친아" 일지도 모른다. 행아웃을 꺼리며 집에 틀어박혀 하나의 일에 몰입하는 것을 좋아한다. 그럼에도 나는 이 작은 공동체의 모임 행아웃에 대해 나쁘게 생각하지 않는다.

이 작은 공동체는 참 특이하다. 때로는 크게 싸워 헤어지고 나서도, 언제 그랬냐는 듯이 나란히 모여 수다 떨며 PC방으로 몰려간다. 하지만 아무리 친구가 좋다 해도 자신과의 약속을 지키지 않으며 나가 노는 것은 독이다. 자신과의 약속을 지키지 못한 사람은 잘되지 못하고, 잘 되면 안 된다.

하지만 아이들은 때론 이 작은 공동체 속에서 자신이 혼난 것을 털어놓으며 위로를 받아 새 출발을 할 힘을 얻기도 한다. 이 작은 공동체 속에서 우리는 독을 먹기도, 위로를 받기도 한다. 우리의 작은 공동체들은 참 알 수 없는 방향으로 진화한다.

작은 공동체. 때론 약이 되고 때론 독이 되는 이 신비한 사회는 말벌과 같다. 말벌들은 꽃가루를 수분시켜 작물들을 가져다주지만, 침으로 공격해 우리에게 치명상을 입히기도 한다. 교실에 갇힌 말벌들은 나가고 싶어 창문을 두드리고 날아다니지만, 곧이어 선생님이 진공청소기를 가져와 말벌을 없앤다. 말벌들은 자유롭게 숲을 거닐며 날아다녀야 한다. 좁고 숨쉬기 힘든 진공

청소기 청소통 속이 아니라.

Broken

자아 상실. 우울증. 자폐. 비스킷을 보고들 하는 말이다. 남들 눈에 띄지 않는 완전한 투명인간. 자존감을 잃어버린 자들. 존재감을 잃은 사람들.

인간의 마음이 깨졌을 때 그 상황은 두 분류로 나뉜다. 일반적인 사람은 유리 조각처럼 깨져 날 보라고 소리치지만, 비스킷들은 가루가 되어 출근길 직장인들의 구두 굽에 짓밟힌다.

비스킷들에게는 타인의 시선이 필요하다. 다행히도 일부의 비스킷들은 상담을 통해 자아를 되찾아 세상을 향해 발을 내딛지만, 수많은 비스킷들이 자아 상실과 우울 속에 생을 마감하고자 한다.

참 크래커와 에이스 비스킷 사이에서 뭘 먹을지 고민하다 나는 참크래커를 집어 들었다. 장염 때문에 먹지 못한 간식을 오랜만에 싸들고 돌아와 한 입을 베어 물었다. 안타깝게도 반쪽으로 쪼개지지 못하고 부스러기가 흩날려 바닥으로 사라졌다. 그 시각, 또 한 명의 비스킷이 지구를 떠나 삶을 마감했다.

수학은 세포다

수학은 하나의 세포와 같습니다.
이 세포는 매우 까칠하고 조심스럽습니다. 자신과 맞는 이론들은 조심히 끌어당기고, 쓸모없는 이론들은 뱉어내지요. 그리고, 언제든지 자신을 없애려 호시탐탐 노리는 바이러스들에게 사이토카인 세례를 퍼부을 준비를 하고 있죠.

하지만, 이 사랑스러운 세포와 사귀기 시작하면 모든 것이 달라집니다. 세포는 자신이 가진 모든 것을 친구에게 나누어 줍니다. 수에서 시작해 도형, 방정식, 대수기하학과 미적분까지 자신이 가진 모든 것을 떼어줍니다.

수학의 세계는 이상하면서도 은근히 야릇하고 달짝지근합니다. 마치 라면 같아요. 한 번 맛보면 중독적일 정도로 계속 하고 싶습니다. 하지만, 아무리 좋은 라면도 이상한 소스를 풀어놓으면 맛이 없겠지요? 수학도 마찬가지입니다. 이 이상한 국물이 바로 강요를 의미합니다.

우리 안의 수학 세포는 바이러스에 맞서 인터페론을 분출하고, 제 1형 MHC 분자에 항원을 표시해 고통스러움을 알리지만, 바이러스는 인터페론을 막고 창을 닫아버립니다. 그럼 NK 세포가 그걸 죽이고, 수학의 재미는 영원히 우리 가슴속에서 사라지게 됩니다.

몇몇 가정에서는 강요를 하지 않습니다. 하지만 대다수는 다 널 위한 거라면서 강요하고 있죠. 그래서 강요받으면서 수학을 배우거나 아예 포기한 사람들이 많습니다. 도대체 수학을 얼마나 강요했길래 학습환경조사서가 수학을 얼마나 강요받고 있는지 물어볼까요? 이 가련한 세포를 바이러스로부터 구해 주세요.

수학에게 강요란 곧 끔찍한 테러입니다.

My Dog

Every person says about their first love when they become an adult. Even though I'm young, I had my first love. However, he was not a person. It was my dog.

Actually, he wasn't my dog at the start. My mom was raising him. He was living even before I was born. He and I shared every moment of my early life. To me, he was more precious than a diamond.
I loved him. The reason I loved dogs was also him. He was not just a dog, but my first friend. I thought of meeting him every time I went to my Grandmother's home, where he lived. The most important reason I liked to go to my Grandma's home was him.
Then, when I was in first grade, a news that I never imagined came real. My mother said, "say 'yes' when you are ready to hear it.". I thought it was a happy news.
My mother's voice seemed sad, but I, waiting for

dinner, never knew what it was. I said "yes" after a little moment, thinking that "maybe I got a award!". However, It was one hundred percent different from what I imagined. "are you really ready to listen?", "Yes!!" I said.
Because my mom used this tone of voice to trick me when I got a good news,
I thought I will get a trophy.
But the reply was "Your dog... Died." I was iced for almost 30 seconds. Voice did not come out of my throat.
Everything I thought about was "How That's possible!".
I cried and cried and cried until the dinner became all cold. But it was not important.
The important thing was that my dog died.
When I first heard it, I doubted my ears. However, it finally turned right. My dog is now gone from the world.
When I think from now, I think that I would still be sad if my dog died now. However, if my dog lived longer, it would have been loved more. I am still sad that my dog is gone.

가치중립

<Don't Blame Peppe>

어느 날, 어떤 일러스터는 자기 인생을 한탄하는 개구리 한 마리를 만들었다. 이 개구리는 플랫폼에 올라가자마자 큰 인기를 끌었지만, 나치 개구리, 인종차별 KKK단 개구리, 김정은 개구리 등이 막 올라가면서 미법무부는 페페를 공식적인 혐오의 상징으로 지정했다.

그 일러스터는 자신의 귀여운 작은 개구리가 혐오의 상징이 되는 것이 너무나 분노스럽다고 의사를 전했지만, 악마같은 사람들은 계속 불쌍한 작은 페페를 온갖 나쁜 인물로 패러디하고 있었다. 불쌍한 페페의 아빠는 페페를 자기 손으로 죽였고, 깊은 상심과 고뇌에 빠졌다.

그 일러스터는 페페가 이렇게 될 줄 알고 페페를 만들었을까? 당연히 아니다! 잡스는 스마트폰을 스마트폰을 "스마트" 해지라고 만들었지 게임하라고 만들었고, 많은 아이돌 그룹들은 아이돌이 새롭고 즐거운 문화가 되라고 만들었지 공부하지 말라고 만든 건 아니다. (물론 아이돌을 좋아하면서 공부하는 사람들도 많다. 그런 사람들에겐 정말 미안하다) 불쌍한 작은 페페도, 잡스도, 아이돌 스타들도 이런 모습을 보면 그리 좋아하지 않을 거다. 지금 우리는 텔로스에 어긋나게 물건들을 쓰고 있다. 물론 그러면 즐거움을 느끼는 줄 알지만, 이것이 과연 맞는 행동인지는 다시 고민해 볼 필요가 있다. 발명가는 잘못이 없다. 과학은 가치중이다.

가치중립 반대

<Luddite>

페페의 억울함은 인정한다. 하지만, "과학은 가치중립"을 실현한다면 하버는 전범이 아니다.

하버는 질소 비료로 40억을 살렸지만, 몇천만 명을 가스와 폭탄으로 살해하고, 동족을 죽이는 야만스런 행위까지 저지른 남자다. 하버가 아무리 40억을 먹여 살리고 구했어도, 잘못은 잘못일 수밖에. 하버의 잘못을 풀어 주는 가치 중립을 실현한다면, 수많은 전범들이 벌에서 뛰쳐나온다.

더 극단적인 예를 들어, 잔인해 빠지기로 소문난 일본의 731부대가 무죄라고 소리치는 것이 바로 가치중립의 한 예다. 얼핏 보면 또 맞는 소리처럼 들리지만, 전범들을 해방시키는 치명적인 오류를 가지고 있는 가치중립이다.

과학자에게도 책임이 있다. 요즘 초대형 자동차 공장에도 로봇을 관리하는 사람 몇 명밖에 없는데, 로봇을 개발한 사람들에게도 책임이 있다. 이 수많은 실업자가 생긴 원인과 그에 대한 책임을 과학자에게도 물을 수 있어야 한다.

19세기의 러다이트 운동이 기억나는가? 수많은 실업자들이 이로 인해서 발생했지만, 기업주, 사업주들은 전혀 책임을 지지 않았다. 우리는 책임을 질 줄 알아야 한다. 19세기에 노동자들의 마음을 몰랐던 어리석었던 공장주들과 우리는 다르다. 공장주들은 폭력배로 그들을 때리고 진압하겠자만, 우리는 노동자들의 마음을 이해하고 과학자에게 요구할 수 있어야 한다.

존 핸리는 동료 노동자들과 자신의 해고를 막기 위해 기계보다 가까스로 빨리 터널을 뚫었고, 다음날 과로사했다. 존 핸리가 죽은 뒤 사장은 기계를 도입했지만, 그의 영혼은 아직도 동상 속에서 열정으로 빛나고 있다. 용기를 내야 한다. 세상을 바꾸기 위해서는.

The Road to Self

발　행 | 2024년 4월 20일
저　자 | 최영석
펴낸이 | 한건희
펴낸곳 | 주식회사 부크크
출판사등록 | 2014.07.15.(제2014-16호)
주　소 | 서울특별시 금천구 가산디지털1로 119 SK트윈타워 A동 305호
전　화 | 1670-8316
이메일 | info@bookk.co.kr

ISBN | 979-11-410-8165-2

www.bookk.co.kr
ⓒ 최영석 2024
본 책은 저작자의 지적 재산으로서 무단 전재와 복제를 금합니다.